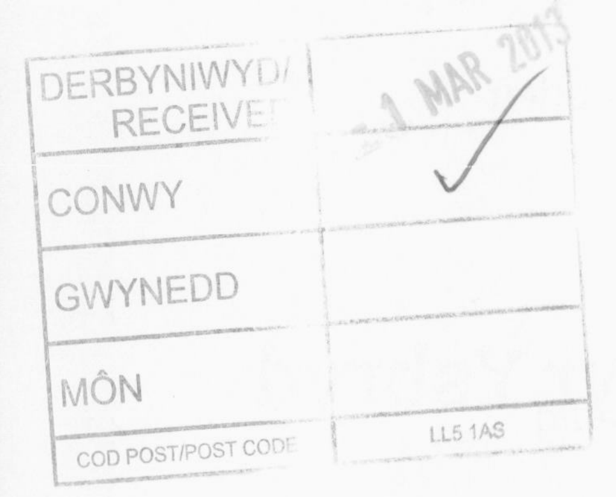

Argraffiad Cymraeg cyntaf 2012

ISBN 978-1-78112-141-2

Teitl gwreiddiol: *The Ghost Box*

Cyhoeddwyd gyntaf ym Mhrydain yn 2008 gan Barrington Stoke Ltd.,
18 Walker Street, Edinburgh, EH3 7LP.

Cyhoeddwyd yn Gymraeg ym Mhrydain yn 2012 gan Barrington Stoke Ltd.,
18 Walker Street, Edinburgh, EH3 7LP.

Noddwyd gan Lywodraeth Cymru.

Argraffwyd ym Mhrydain gan Bell a Bain Cyf, Glasgow.

Cynnwys

Pennod 1
Yr Wyneb yn y Goeden

Roedd Sara'n cario llond hambwrdd o wydrau gwin yn un llaw a Coke yn y llaw arall pan welodd hi'r darlun.

Roedd e ar wal yr oriel. Cafodd y fath syndod o'i weld, fel y safodd yn stond. Syllodd ar y caeau gwyrdd a'r bryniau. Roedden nhw yr un fath yn union â'r olygfa a welai o'i thŷ hi.

"Hei, weinyddes. I fi ma' hwnna?" Cymerodd Mat y Coke o'i llaw a'i slochian.

Rhythodd Sara arno. "Na. Dim i ti roedd hwnna."

"Trueni. Bydd yn rhaid i ti nôl un arall." Gwenodd Mat, ei wallt Goth du yn cuddio'i lygaid Goth a'u llinellau duon. Credai Sara ei fod yn edrych mor wirion.

"Cer o'r ffordd, Mat. Dwi'n gweithio."

"Ti'n gorfod gwneud yn siŵr bod parti bach Mami'n mynd yn iawn, wyt ti?" meddai. Symudodd e ddim, felly gwthiodd Sara heibio iddo a dechrau rhannu'r diodydd i'r gwesteion.

Cerflunydd oedd mam Sara, ac roedd y parti ar gyfer ei harddangosfa newydd. Artistiaid eraill a pherchnogion orielau oedd y rhan fwyaf o'i ffrindiau. Roedden nhw i gyd yn gwisgo dillad lliwgar ac yn uchel iawn eu cloch. Gwelodd Sara ei mam yn cael ei llun wedi'i dynnu o flaen y cerflun mawr efydd, "Dyn yn y Glaw". Roedd ei bochau'n binc ac edrychai'n gynhyrfus. Winciodd ar Sara.

Yna dywedodd y ffotograffydd, "Edrychwch ffordd hyn os gwelwch yn dda."

Cyn gynted ag roedd yr hambwrdd yn wag, gadawodd Sara ef y tu ôl i soffa. Roedd hi wedi cael llond bola o helpu. O hyn ymlaen byddai'n swagro fan hyn a fan draw fel y dylai merch y cerflunydd ei wneud. A chadw'n ddigon pell i ffwrdd oddi wrth Mat.

A'i dad, Gareth.

Roedd Gareth ym mhob llun hefyd. Roedd ei freichiau ef a Mam am ei gilydd, ac roedd Mam yn gwenu fel plentyn bach.

Gwyliodd Sara'r ddau o'r tu ôl i gerflun efydd. Roedd hi'n hoff o Gareth. Roedd e ychydig yn hen ffasiwn, digon tebyg i athro yn ei hen siwt frown, ond nawr eu bod nhw'n briod, fyddai Mam ddim yn hir yn cael trefn arno. Roedd Gareth yn iawn, ond roedd ei fab, Mat, yn boen. Roedd e'n anniben ac yn anghwrtais. Roedd e bob amser yn chwarae ei gerddoriaeth mor uchel â phosib ac yn gadael ei ddillad du gwirion ar hyd y lle ym mhobman.

Roedd meddwl amdano'n ddigon i gynhyrfu Sara a'i gwneud yn benwan. Aeth yn ôl i weld y darlun.

Doedd neb ar ei gyfyl. Roedd e'n hen, a chrogai yn rhan dywylla'r oriel lle roedd y glaw yn llifo'n araf dros y ffenestri. Safodd Sara o'i flaen, gan edrych ar y gwaith cain, a'r llwch ar y ffrâm aur.

Darlun o'r sgubor oedd e, cyn iddo gael ei droi'n dŷ.

Ei thŷ hi.

Erbyn hyn roedd darn modern wedi ei ychwanegu ato a chanddo ffenestri gwydr, anferth. Ond yn y darlun roedd y sgubor yn hen a'r gwellt yn syrthio oddi ar ei do. Roedd y drysau mawr ar agor, ac roedd ci yn rhedeg o dan y drol wair a safai ble roedd Mam yn parcio'i char. Profiad rhyfedd oedd gweld eu tŷ nhw yn edrych fel y gwnâi gan mlynedd yn ôl. Roedd y ffenestr gron yn y wal garreg yr un fath, ond roedd popeth arall wedi newid.

Ac roedd yna goeden.

Camodd Sara yn nes i edrych yn iawn. Roedd derwen anferth yn y darlun. Safai wrth ran isaf y sgubor, yn union ble roedd ei stafell wely hi nawr.

Doedd hi ddim yn gwybod bod coeden wedi bod yn tyfu yno. Doedd dim coeden yno nawr. Edrychai'n hen iawn, ei boncyff yn anferth, ei changhennau'n ymestyn fel bysedd llychlyd gwyrdd.

Aeth Sara mor agos at y gwydr nes i'w hanadl greu niwl arno. Sychodd y lleithder a gwelodd bod y goeden yn y darlun yn llawn adar – adar bach dieithr doedd hi erioed wedi eu gweld o'r blaen. Roedd eu llygaid disglair yn sbecian rhwng y dail. Adar aur a glas oedden nhw a chynffonnau hir a fflachiadau sgarlad ar eu hadenydd.

Ac yna gwelodd wyneb.

Roedd e yng nghanol y dail. Neu efallai ei fod wedi ei wneud o ddail. Wyneb cul, brwnt, ei lygaid fel llygedyn o haul, ei wên fel cysgod cam. Roedd e'n union fel petai rhywun yn cuddio yn y canopi gwyrdd, yn dal rhywbeth disglair mewn llaw denau.

Edrychodd arno, roedd hi'n bendant ei fod e yno.

"Pwy wyt ti?" sibrydodd dan ei hanadl.

Am foment credai y byddai'n ateb. Ond wnaeth e ddim.

Winciodd arni.

Neidiodd Sara. Roedd ei chalon yn curo'n gyflym.

Saethodd cysgod ar draws y darlun fel yr oedd Gareth yn agosáu. “O! fa’ma rwyt ti.”

Gwisgodd ei sbectol a syllu’n chwilfrydig ar yr hen sgubor. “O edrych! Ein tŷ ni! Mae’n eitha’ da, on’d yw e?”

Allai Sara ddim ateb. Rhythodd ar y goeden ond doedd dim byd yn ei dail nawr, dim adar, dim wyneb, dim llygad slei yn cau.

Dim ond adlewyrchiad y stafell ddisglair y tu ôl iddi, gyda sŵn tincial y gwydrau a sisial y sgwrsio.

Pennod 2
Y Blwch Arian

Roedd hi'n hwyr pan yrrodd y pedwar ohonyn nhw adref. Cyrliodd Sara ar sedd gefn y car a cheisio anwybyddu'r gerddoriaeth aflafar oedd yn llifo o glustffonau Mat. Yn y sedd flaen roedd Mam yn hanner cysgu. Gareth oedd yn gyrru.

Roedd y car yn dawel ac roedd arogl lledr ynddo. Roedd poteli o win, hanner gwag yn tincial yng nghist y car.

Syllodd Sara drwy'r ffenestr ar y caeau tywyll. Roedd rhyw lewyrch porffor yn hofran yn yr awyr, ac roedd y coed yn gysgodion dryslyd ar hyd y lôn, yn ffrwydro'n aur wrth i oleuadau mawr y car eu cyffwrdd.

"Dwi'n meddwl bod popeth wedi mynd yn dda iawn," meddai Gareth.

Nodiodd Mam yn gysglyd. "Diolch am yr holl help. Roeddet ti'n werth y byd, Sara."

"Rwyt ti'n haeddu seibiant nawr." Gwenodd Gareth ar Mam wrth i'r car gloncian dros y cerrig mân ac aros y tu allan i'r tŷ. Ond roedd Mam yn syllu ar y ffenestri mewn syndod. "Pwy adawodd y goleuadau i gyd ymlaen?" gofynnodd.

Wrth gamu allan, sylwodd Sara fod golau ym mhob rhan o'r tŷ. Taflai'r ffenestri enfawr oleuadau hirgul dros y lawntiau llyfn.

Trodd Gareth at Mat. "Ti oedd yr un olaf yn gadael," meddai wrtho.

"Ond fe ddiffoddes i'r golau," atebodd Mat gan godi'i ysgwyddau. "Dwi'n gwybod 'mod i wedi."

"Dwyt ti ddim yn meddwl bod rhywun wedi torri i mewn, wyt ti?" Roedd llais Mam yn dawel.

"Dydy'r drws ddim wedi cael ei dorri. Ond aros fan hyn. Dwi'n mynd i weld."

Aeth Gareth i'r tŷ ac ymhen eiliad aeth Mat ar ei ôl. Pwysodd Sara ar y car, braidd yn ofnus. Cyn bo hir gwthiodd Gareth ei ben trwy un o ffenestri'r llofft. "Neb yma. Mat wedi bod yn anghofus, siŵr o fod."

Gwenodd Mam.

Ond wrth i Sara ei dilyn i'r tŷ, clywodd ryw sŵn bach y tu ôl iddi. Trodd yn sydyn ac edrych. Am funud, roedd hi'n siŵr ei bod wedi clywed siffrwd dail. Yn y fan yna, ar bwys ffenestr ei stafell wely.

Pan aeth i'r gwely cofiodd am hyn, safodd am funud ac edrych trwy'r ffenestr. Roedd hi'n bwrw glaw unwaith eto, ac roedd pobman o'i hamgylch yn ddu a'r glaw yn chwipio'r ffenestr. Yr unig beth a welai oedd hi ei hun.

Neidiodd i'r gwely a diffodd y lamp. Ar amrantiad, roedd hi'n gorwedd mewn gwagle du. Roedd ei stafell yn dawel. Roedd hi ym mhen draw'r coridor, yn y darn hwnnw o'r tŷ oedd wedi ei ychwanegu at y sgubor.

Roedd ei gwely ar bwys y ffenestr. Roedd hi'n falch o hynny. Gallai orwedd yn ei gwely, edrych ar yr awyr, a gweld y sêr. Weithiau gallai glywed y dylluan yn hwtian ac yn hela yn Allt y Graig, neu glywed cadno'n cyfarth. Roedd hi wedi codi ar ei heistedd unwaith, a gweld mochyn daear yn croesi'r lawnt yng ngolau'r lleuad. Ond heno, doedd dim ond sŵn y glaw ar y gwydr a'i bitran-patran tawel ar y to.

Trodd. Roedd y stafell wely'n llonydd, y cwpwrdd dillad yn dalp du a'i chot ysgol yn crogi arno, ei breichiau ar led. Roedd clychau'r gwynt yn troi'n dawel. Daeth chwa o bersawr gwan o ganol yr annibendod ar ei bwrdd gwisgo.

Caeodd ei llygaid.

Mae'n rhaid ei bod yn cysgu, meddyliodd, achos roedd yn breuddwydio am ryw wich yn y stafell. Gwich dawel yn gyntaf, ac yna fe dyfodd yn sŵn cras, fel petai rhywbeth yn gaeth ac yn ceisio dianc.

Cydiodd yn dynn yn y gobennydd, heb symud.

Tyfodd y sŵn a rhwygodd y tywyllwch. Ffrwydrodd i'r stafell.

Agorodd Sara ei llygaid yn llydan. Gwelodd bod rhwyg yn hollti'r carped wrth ymyl ei gwely. Dechreuodd rhywbeth lithro trwyddo. Wrth iddi godi ar ei heistedd ac ochneidio mewn ofn, gwelodd taw blaguryn bach, gwyrdd oedd yno â dwy ddeilen arno. Gwthiodd y blaguryn ei hun fwyfwy, gan dyfu'n gyflym. Ffrwydrodd brigau ohono a ffrwydrodd y blagur yn ddail euraidd.

Tyfodd y goeden yn gyflym, gan siffrwd yn dyner. Roedd dail newydd yn blodeuo a Sara yn eu canol, ac roedd y dail yn oer ar ei gwefusau a'i hwyneb. Wrth iddi syllu mewn rhyfeddod, llanwyd y stafell ag arogl pridd llaith a mwydod. Dringodd y goeden nes cyrraedd y to. Ymwthiodd un gangen drwy'r ffenestr. Syrthiodd darnau o wydr yn ddeilchion ar y llawr.

Sut y gallai hyn fod yn freuddwyd?

Gallai deimlo'r glaw oer a blasu'r paill. Estynnodd ei dwylo a dal y dail oedd yn syrthio o'i chwmpas ym mhobman, ar y gwely, ar ei gobennydd, ac ar y lamp wrth ochr y gwely.

Gydag un ymdrech anferthol, ymwthiodd y goeden drwy'r to. Daeth adar o'r canghennau yn un haid, adar aur a glas, gan hofran o amgylch Sara cyn diflannu i'r awyr.

Syllodd Sara tuag i fyny.

Gwelodd rywbeth bach, disglair ar frig y boncyff, wedi ei wasgu'n dynn rhwng dwy gangen.

Safodd ar ei thraed yn gyflym, gan afael yn dynn yn y boncyff gwlyb rhag iddi faglu a llithro.

Ie. Dyna fe. Yn union fel roedd e yn y darlun, er nad oedd neb yn ei ddal nawr.

"Helô?" meddai'n dawel. "Wyt ti 'na?"

Dim ateb.

Dododd ei throed ar gangen oedd wedi plygu, tynnodd ei hun i fyny, a dechrau dringo. Roedd hi'n gwbl ddiogel. Allech chi ddim syrthio a chael dolur mewn breuddwyd. A phetai hi'n syrthio, byddai'n glanio ar y gwely.

Doedd hi ddim yn hawdd. Ymhen dim roedd hi'n brin o anadl ac roedd ei breichiau'n brifo. Llithrodd ddwywaith, gan sgathru cledrau ei dwylo. Syrthiodd dail ar ei hwyneb, ac roedd yn rhaid iddi agor a chau ei llygaid i gael gwared ar y paill. Ond daliodd i'w llusgo'i hun i fyny hyd nes bod ei llaw yn gallu llithro am y gangen a chyffwrdd â'r blwch.

Roedd e mor oer â darn o iâ. Tynnodd ei bysedd ar hyd y metel llaith, a theimlo twll y clo. Prin roedd hi'n gallu ei gyrraedd. Roedd y blwch wedi ei ddal rhwng dwy gangen. Cydiodd ynddo a'i dynnu'n gyflym, gan ymladd am ei hanadl. Syrthiodd ei gwallt dros ei llygaid.

Yna, teimlodd rywun yn cyffwrdd â'i chefn yn ysgafn iawn.

Pennod 3
Cysgod

Sgrechiodd Sara a chodi ar ei heistedd yn y gwely.

Neidiodd Mat yn ôl. "Gan bwyll! Be' sy'n bod arnat ti?"

Am funud doedd ganddi mo'r syniad lleiaf ble roedd hi. Yna fe welodd ei stafell wely yn dawel a normal, a'r ffenestri'n llawn o haul y bore.

"Be' wyt ti'n ei wneud yn fy stafell i?" gofynnodd yn ddig.

Cododd Mat ei ysgwyddau. "Dy ddeffro di. Galwodd dy fam arnat ti, ond roeddet ti yng ngwlad y breuddwydion. Mae hi bron yn naw o'r gloch."

Gwisgai jîns du a thop du. Roedd e bob amser mewn du, meddyliodd, rhyw gysgod o beth yn cripian o amgylch y tŷ golau.

"Iawn 'te, wna i ddim trafferthu y tro nesa," meddai.

"Na. Paid. Cer i grafu."

Cyn iddo gyrraedd y drws gofynnodd, "O ble daeth hwnna?"

Dilynodd Sara ei lygaid.

Safai'r blwch arian ar y ford wrth ochr y gwely, ar bwys y lamp. Edrychai'n drwm ac yn ddrud. Rhythodd arno mewn syndod, a chofiodd y freuddwyd am y goeden yn ei holl liwiau llachar.

Estynnodd Mat am y blwch ond bloeddiodd Sara, "Paid â chyffwrdd! Y fi sy biau fe!"

Roedd y floedd mor siarp nes synnu Sara ei hun hyd yn oed. Safodd Mat yn stond. Gallai Sara synhwyro'i ddicter. Roedd ei lygaid yn dywyll a chwerw.

Yn sydyn, dywedodd, "Edrych Sara, do'n i chwaith ddim am i'n rhieni ni ddod at ei gilydd. Roedd gan Dad a fi le da lle ro'n ni, jyst y ddau ohonon ni – doedd dim rhaid i ni ddod i'r twll crand yma. Ond paid â phoeni, fydda i ddim yn aros yma i ddifetha dy fywyd bach cysurus di. Flwyddyn nesa, pan fydda i'n mynd i'r coleg, weli di mo 'nghysgod i hyd yn oed."

Clepiodd Mat y drws wrth adael y stafell a syrthiodd gŵn nos Sara oddi ar y bachyn.

Syllodd Sara arno'n gorwedd yn un swp ar y llawr. Teimlodd ryw euogrwydd am funud fach am iddi fod mor sbeitlyd tuag at Mat. Yna, neidiodd o'r gwely a rhoi'r blwch ar ei glin.

Tybiai Sara ei fod yn werthfawr. Edrychai yn debyg i arian, ac roedd yn hen iawn. Roedd ei glawr wedi ei wneud o ddail arian a'r rheini wedi eu plethu. Dail y dderwen. Roedd geiriau mewn iaith ddieithr o'i amgylch. Doedd hi ddim yn gallu eu darllen.

Tynnodd ei bysedd drostyn nhw, gan deimlo'r metel oer. Sut y byddai hi wedi gallu cadw'r blwch a welodd mewn breuddwyd? Neu a oedd Mam wedi ei osod yno neithiwr, ar ôl bod yn yr oriel efallai, ac wedi anghofio amdano, a hi, Sara, wedi breuddwydio amdano? Go brin fod hynny'n bosib.

Roedd twll clo i'r blwch ond doedd dim allwedd. Gwnaeth ei gorau glas i agor y clawr ond roedd y blwch wedi ei gau'n dynn. Teimlodd yn siomedig ac ysgydwodd ef.

Roedd rhywbeth yn symud ac yn clecian y tu mewn iddo.

Daliodd e'n llonydd, rhag ofn i beth bynnag oedd ynddo dorri. O'r gegin clywodd lais ei mam yn gweiddi, "Sara! Brecwast!"

Doedd dim ysgol gan ei bod yn hanner tymor. Roedd Gareth wedi mynd i'w waith a doedd hi ddim yn gwybod beth oedd hanes Mat. Yn y gegin, roedd y cŵn, Jac a Jess, yn gorwedd ar eu hyd ar y mat wrth y drws, gan edrych yn hiraethus ar eu powlenni gwag. Fe edrychon nhw ar Sara pan ddaeth i'r gegin, ond siglodd ei phen a dweud, "Chi wedi cael bwyd yn barod."

"Gad iddyn nhw fynd allan, wnei di?" meddai ei mam.

Wrth iddi agor y drws chwythodd pwff o wynt ddail gwlyb ar ei choesau. Syrthiodd diferion glaw o'r cafn oedd uwchben. "Mae'r Hydref wedi cyrraedd," meddai'n syn, o weld fod gwynt y noson cynt wedi sgubo'r dail oddi ar y coed, a'u gadael yn garped newydd dros y lawnt.

Gwenodd Mam, a throi wrth i'r ffôn ganu.

"Dewch yn eich blaenau," meddai Sara wrth y cŵn.

Chwyrnodd Jac. Daeth y sŵn o grombil ei fol. Ysgyrnygodd ei ddannedd, a rhoddodd Jess ddau gyfarthiad siarp, ofnus. Roedd y ddau'n edrych at gornel y sgubor a thuag at ei stafell wely hi, ond doedd dim byd yno heblaw am y dail, yn chwyrlïo yn y gwynt.

"Allan!" Gwthiodd Sara nhw drwy'r drws.

Yna, mewn munud neu ddwy, cerddodd ar hyd y llwybr a rhythu ar gornel gwydr yr adeilad. Roedd y ffenestri yn y fan hon yn ymestyn o'r llawr i'r to. Gallai weld Mam yn siarad a chwerthin ar y ffôn. Gallai hefyd weld ei hadlewyrchiad hi ei hun, yn edrych yn oer ac mewn penbleth.

Ac roedd yna gysgod.

Gorweddai ar y borfa y tu ôl iddi, ac nid ei chysgod hi oedd e.

Roedd e'n fach, ac yn agos, ac am funud teimlodd ryw ias ar hyd asgwrn ei chefn. Trodd yn sydyn.

Roedd y lawnt yn wag.

Dychwelodd i'r tŷ. "Mae'n rhaid i mi bicio i'r dre. Fyddi di'n iawn?" gofynnodd Mam.

"Bydda. Dim problem."

"Dwi ddim yn gwybod i ble mae Mat wedi mynd."

Gwisgodd Sara ei chlustffonau. "Pwy sy'n poeni?"

Bu'n darllen ac wedyn aeth ar-lein. Ffoniodd ei ffrind Oli a bwyta ychydig o gaws, afalau a chreision. Ond erbyn y prynhawn roedd hi wedi hen ddiflasu ar ei chwmni ei hun. Ffoniodd ei Mam hi am ddau o'r gloch.

"Fe fydda i awr arall. Ydy Mat wedi cyrraedd adre?"

Cododd Sara ei hysgwyddau. "Na."

"Does dim ofn bod ar dy ben dy hun arnat, oes e?"

"Nac oes, wrth gwrs."

Wrth osod y ffôn yn ei ôl, teimlai'n anesmwyth. Byddai'n dda ganddi petai ei mam heb ofyn a oedd arni ofn. Doedd hi ddim wedi teimlo'n ofnus cyn hyn ond nawr roedd y tŷ yn dywyll. Roedd y glaw yn taro'r ffenestri a thywyllwch cynnar mis Hydref yn cau amdani. Aeth o'r naill stafell i'r llall i gynnau'r golau. Yna safodd yn stond.

Roedd un o ddrysau'r llofft wedi cau.

Safodd yn ei hunfan, a gwrando, ei chalon yn curo.

Gwichiodd styllen ar y llawr.

Roedd hi'n siŵr.

Roedd rhywun yn cerdded ar hyd y llawr yn ei stafell wely.

Pennod 4
Ewinedd Byr Toredig

“Mat?” galwodd.

Distawodd y sŵn traed.

Roedd y tawelwch yn waeth na dim. “Mat? Wyt ti ’na?”

Cofleidiodd y tawelwch hi.

Yn araf, dechreuodd Sara ddringo’r grisiau. Roedden nhw’n hen ac yn codi mewn un tro hir. Gallai weld y glaw ar ffenestr fach y to. Taflai gysgodion tonnog ar hyd y waliau.

Teimlodd rywbeth o dan ei throed a phlygodd i weld beth oedd yno. Roedd yn wlyb. Deilen grin. Cafodd sioc. Trodd ac edrych tuag at y drws ffrynt, ond roedd wedi ei gau'n dynn. Oedd Mat wedi dod i mewn? Doedd hi ddim wedi ei glywed.

Gollyngodd y ddeilen a dringo tri gris arall. Wrth iddi nesáu at ben y grisiau curai ei chalon yn gyflymach. Roedd hi'n chwysu ac roedd ei llaw yn oer ar y rheilen.

Roedd drws pob stafell wely ar gau ond drws ei stafell hi.

Roedd ei drws hi'n gilagored.

Gallai weld cornel ei gwely, ac ochr ei chwpwrdd dillad.

Roedd e yn y stafell. Mae'n rhaid taw Mat oedd e. Mae'n rhaid ei fod yn chwilio am y blwch arian.

Sleifiodd yn nes. Roedd clychau gwynt yn crogi o nenfwd ei stafell – eliffantod a theigrod bach metel. Gallai eu gweld yn troi, a gallai glywed eu tincial bach ariannaidd yn yr awel.

Cydiodd yn dynn yn nolen y drws ac anadlu'n ddwfn. Yna hyrddiodd y drws ar agor a rhuthro i'r stafell.

Doedd neb yno.

Symudodd y llenni yn y llonyddwch. Roedd belt ei gŵn llofft yn siglo'n araf, yn ôl ac ymlaen.

Gollyngodd ei hanadl.

Roedd arogl yno.

Arogl gwlyb, diflas, fel rhywbeth wedi pydru.

Ac roedd drôr gwaelod ei chwpwrdd dillad ar agor, a darn o grys porffor yn y golwg, hen grys porffor doedd hi byth yn ei wisgo bellach. Ond dyma'r crys roedd hi wedi'i ddefnyddio i lapio'r blwch arian.

Gydag ochenaid o ddicter, penliniodd a'i dynnu. Os oedd e ...

Ond roedd y blwch yn dal yno, yn dal ar glo.

Yn dal i glecian wrth gael ei ysgwyd.

****

Yn ddiweddarach, ar ôl te, roedd Mat yn gorwedd ar y soffa'n gwylio'r teledu. Cerddodd Sara i'r stafell a sefyll o flaen y sgrin.

Trodd ei ben i edrych arni. "Be' sy'n bod nawr?"

"Paid byth â gwneud hynna 'to, neu fe siarada i â Gareth."

"Gwneud be', frenhines ddrama?" gofynnodd Mat.

"Fi piau'r blwch 'na. Paid â chyffwrdd ag e, y crîp."

Syllodd arni â'i lygaid duon, Goth. "Does gen i ddim clem am be' rwyt ti'n sôn."

"O, ie, ie! Iawn."

Yn y gegin gofynnodd Sara i Gareth, "Pwy sy'n gwneud allweddi?"

"Oes eisiau allwedd arnat ti?"

"O, dim allwedd drws na dim byd mawr. Jyst ... mae hen focs tlysau gen i. Dad roiodd e i mi a hoffwn i ei gloi e."

Gwyddai na fyddai'n holi rhagor amdano pe bai'n dweud hynny, a wnaeth e ddim. "O, iawn.

Wel, crydd am wn i, neu emydd os ydy e'n hen iawn. Mae 'na siop yn y dre', yn y stryd fach 'na ar bwys y nant. Wyt ti am i fi fynd ag e?"

"Na." Ysgydwodd ei phen. "Mae'n iawn. Fe a i ag e fy hun."

****

Dihunodd a hithau'n ganol nos.

Roedd hi'n gorwedd ar ei hochr, yn wynebu'r wal. Yr unig beth y gallai ei weld oedd llun aneglur, agos, o esgidiau ymarfer rhyw fand ar boster. Poster roedd hi wedi hen ddiflasu arno'n barod. Ond roedd ei llygaid led y pen ar agor, a'r chwys yn cosi ei chefn.

Roedd rhywun yn eistedd ar ei gwely.

Nid breuddwyd oedd hi.

Gallai deimlo'r pwysau ar y fatres, a chlywed yr arogl deiliog, od yna.

Ni symudodd, dim ond gwrando ar glecian y blwch yn ei ddwylo, a theimlo arswyd yn oeri ei chroen. Yna cododd ar ei heistedd a throi ei phen.

Roedd bachgen yn eistedd ar ymyl y gwely.

Roedd e'n fach ac roedd ganddo wallt du, cnotiog, brwnt ac wyneb tenau, eiddil. Gwisgai un clustdlws, a phan fyddai'n troi ei ben byddai rhyw olau gwyrdd gwan yn goleuo'i lygaid. Edrychodd arni am eiliad, ac yna trodd at y blwch.

Rhythodd Sara ar ei ddwylo.

Roedd e'n tynnu wrth y blwch, yn ceisio'i wthio ar agor â'i ewinedd byr, toredig. Roedd e'n gadael marciau brwnt drosto i gyd. Roedd hi'n amlwg ei fod yn benderfynol o'i agor. Yna meddai, "Dwi ddim yn gallu gwneud hyn. Dwi ddim yn gallu."

Roedd rhyw dristwch yn ei lais oedd yn creu ias hyd at fêr ei hesgyrn.

"Pwy wyt ti?"

Taflodd gipolwg arni. "Mae angen yr allwedd arna i. Ydy'r allwedd gen ti?"

Ysgydwodd Sara ei phen. Doedd e ddim yn real. Allai e ddim bod yn real achos hwn oedd yr wyneb roedd hi wedi ei weld yn y darlun ac yn ei breuddwydion.

"Fe roies i'r blwch i ti," meddai, "achos ro'n i'n gwybod y byddet ti'n gallu ei achub e."

"Ei achub e?"

"O'r goeden."

Tynnodd ei phengliniau yn nes at ei chorff. "Sut dest ti i mewn i'r stafell 'ma?"

Taflodd y blwch ar y gwely mewn anobaith ac edrychodd arni. Yna cododd ei law a'i gwthio drwyddi, drwy'r poster a thrwy'r wal.

"Roedd hi'n hawdd," sibrydodd.

Pennod 5
Y Siop wrth y Nant

Bu bron i Sara sgrechian.

Ond wnaeth y bachgen ddim byd ond codi'i ysgwyddau. Tapiodd y blwch ag un bys brwnt. "Dwi am gael yr allwedd. Dwi am i ti ei chael hi i mi."

Yswatiodd Sara, gan dynnu dillad y gwely'n dynn amdani. Roedd hi am grynu a chrynu, am symud yn ôl oddi wrth y bysedd yna oedd wedi treiddio i mewn i'w chroen hi. Gofynnodd mewn llais tawel, "Ble mae hi?"

"Ar goll." Edrychodd arni. "Mae rhai coed yn tyfu allweddi. Mae'r onnen yn gwneud, ond nid y dderwen."

Doedd e'n golygu dim iddi hi. Efallai bod y bachgen yn synhwyro hynny. Dechreuodd bwyso yn erbyn y wal, a phlygu ei ben yn ddigalon. "Dwi wedi fy nal fan hyn," meddai, gan blethu ei fysedd hir, brwnt.

"Wedi dy ddal?"

Roedd ei lygaid yn osgoi ei llygaid hi. Roedden nhw'n dywyll a chwerw. "Ro'n i'n lleidr ar un adeg, lleidr pocedi, yn dwyn arian o bocedi ac yn bachu watshis. Ydy pobol yn dal i wneud hynny?"

"Ffonau symudol," meddai Sara gan gofio am ddicter Mat pan gafodd ei ffôn ei ddwyn.

Gwibiodd llygaid y bachgen fan hyn a fan draw yn sydyn. "Dyma be' ddigwyddodd i mi. Fe ddyges i gwdyn oddi ar ryw ddyn yn y stryd. Gwthies i'r dyn ac fe syrthiodd. Codes y cwdyn a rhedeg nerth fy nhraed. Ro'n i'n teimlo mor hapus a balch. Ond clywes i fe'n galw arna i a phan edryches i 'nôl roedd e'n adrodd rhyw eiriau rhyfedd mewn iaith ddieithr ac yn pwyntio bys esgyrnog, hir tuag ata i. Roedd e'n fy mellltithio."

Rhwbiodd ei ddwylo. Gwelodd Sara'r arddyrnau tenau yn ymwthio o'r llewys carpiog, a'r esgidiau yn we o dyllau.

"Mae e wedi fy lladd i," sibrydodd.

Roedd gwefusau Sara'n sych, ac felly llyfodd nhw a sibrwd, "Sut?"

"Salwch. Roedd salwch yn sgubo drwy'r dre' yn gyson. Agores i'r cwdyn ond dim ond blwch oedd ynddo fe. Y blwch hwn. Ac roedd e'n wag. Daeth rhyw wendid drosto i. Do'n i ddim wedi bwyta ers diwrnodau. Ro'n i'n teimlo gwres fel petai twymyn arna i. Felly, sleifies i ffwrdd, draw i'r bryniau fan hyn. Roedd hi'n noson rewllyd ac ro'n i'n gwybod na fyddwn i'n gweld y bore. Gorweddes yn y dail wrth droed y goeden. Yswaties ynddyn nhw fel anifail yn ei wâl yn crynu. A bues i farw a'r blwch yn fy nwylo."

Doedd Sara ddim am feddwl am hynny. Felly dywedodd, "Ond dyw'r blwch ddim yn wag."

"Dim nawr." Syllodd arni. "Dwyt ti ddim yn deall? Melltithiodd e fi i dragwyddoldeb. Mae e wedi cloi fy enaid i yn y blwch."

Rhythodd Sara arno. Y tu allan, roedd sŵn y gwynt yn codi. Clywodd y gwynt yn chwipio'r brigau moel. Clywodd e'n hyrddio at gornel y tŷ.

"Dwi'n gwybod dy enw di," meddai yn sydyn. "Sara ydy dy enw di. Dwi wedi'u clywed nhw yn dy alw di, dy fam a dy frawd ..."

"Dydy e ddim yn frawd i mi."

"Ffeindia'r allwedd i mi, Sara. Ffeindia hi. Helpa fi. Dwi wedi bod 'ma mor hir a dwi mor oer."

Allai hi ddim peidio â chrynu wrth ei weld mor ddigalon ac wrth deimlo'r oerfel oedd yn treiddio ohono ac o'r darnau o bridd sych ar y gwely.

"Beth ydy dy enw di?" gofynnodd.

Trodd ati, gwenodd, ac ysgwyd ei ben. "Dwi wedi anghofio," meddai.

****

Roedd arwydd y tu allan i'r siop yn dweud Morgan Rhys – Hen Bethau Cywrain. Arhosodd Sara wrth y drws, y blwch arian mewn cwdyn plastig dan ei braich.

Roedd meddwl am fynd i mewn i'r siop yn gwneud iddi deimlo'n nerfus, ac roedd hi wedi blino. Wedi i'r bachgen ddiflannu roedd hi wedi neidio o'r gwely a chynnau pob lamp a golau yn y stafell. Gadawodd nhw ynghyn drwy'r nos, gan orwedd a'i llygaid yn llydan agored, ei meddwl yn gwibio mewn ofn, drwy bob stori a ffilm ysbryd y gwyddai amdanyn nhw. Dim ond pan glywodd Gareth yn codi i fynd i'w waith y teimlodd awydd i gysgu.

Cymerodd anadl ddofn ac edrych ar hyd y stryd gul ac ar yr elyrch yn nofio yn y nant fechan brydferth. Fe gâi hi'r allwedd iddo fe. Yna fe fyddai'n diflannu a gadael llonydd iddi.

Roedd y siop yn hen. Roedd cadeiriau a chypyrddau wedi eu gosod yn y ffenestr. Edrychai hon yn siop ddrud. Trodd y ddolen a chamodd dros un gris i'r siop.

Canodd cloch yn rhywle yng nghrombil yr adeilad. Safodd Sara ym mhelydrau llychlyd yr heulwen ac edrych o'i chwmpas.

Safai tŷ dol mawr ar fwrdd, y celfi bach wedi eu tynnu o'r neilltu yn barod i'w glanhau. Y tu ôl iddo crogai cawell aderyn, un aur, a syllai llygaid mud aderyn bach oedd wedi'i stwffio arni. Roedd darluniau ar y waliau a silff o hen lyfrau mewn cloriau lledr gyferbyn â lle tân bach lle'r oedd y fflamau yn felyn a choch.

Daeth dyn ati. "Alla i'ch helpu chi?"

Gwisgai got ddu ac roedd ei wallt yn wyn. Roedd ganddo sbectol ar ei drwyn main. Roedd e'n dal ac yn denau iawn.

"Dwi ddim yn gwybod. Mae angen allwedd arna i, ar gyfer hen flwch tlysau."

"Allweddi!" Gwenodd ryw wên fach gam. "Wel, mae gen i ddigon o'r rheina."

Tynnodd hambwrdd oedd wedi'i leinio â melfed coch a gwelodd Sara fod arno gannoedd o allweddi. Mawr, bach, aur, tun. Allweddi a darnau o ruban wedi eu clymu wrthynt, allweddi â labelau, allweddi enfawr ar gyfer drysau eglwysi enfawr, ac allweddi bach iawn ar gyfer casys a blychau.

"Ga i weld y blwch?" gofynnodd.

Tynnodd Sara ef o'r cwdyn plastig. "Dyma fe."

Estynnodd ef iddo.

"A!" meddai'r dyn. Cymerodd e'n ofalus, a lapio ei fysedd amdano. Cariodd ef at fwrdd bach a'i roi dan olau lamp. Disgleiriodd dail arian y dderwen.

"Cywrain. Cywrain dros ben. 18fed ganrif, efallai'n gynt. O Ffrainc. Wedi ei wneud ym Mharis."

"Ydy e'n werthfawr?" Doedd hi ddim wedi meddwl gofyn ond roedd diddordeb ganddi erbyn hyn.

Edrychodd arni drwy'r sbectol. "Wyt ti am ei werthu?"

"Na ... o leia ... nid fi sy biau fe mewn gwirionedd."

Gobeithiai na fyddai'n meddwl ei bod wedi ei ddwyn, ond doedd e ddim yn gwrando. Roedd e'n edrych arno drwy chwyddwydr a dynnodd o ddrôr – edrych ar yr ysgrifen ar y blwch, y geiriau yn yr iaith ddieithr. Wrth iddo eu darllen, synhwyrai Sara ei fod yn teimlo'n anesmwyth.

"Dim ond allwedd sy ei hangen arna i," dywedodd Sara'n dawel.

Dododd Morgan y chwyddwydr ar y ford a chamu 'nôl. Tynnodd ei ddwylo oddi ar y blwch.

"Mae'n ddrwg gen i ond does dim un allwedd gen i sy'n ffitio hwn," meddai mewn llais tawel.

Pennod 6
Cyfrinach Ddychrynllyd

Ddeallodd Sara ddim am funud. Rhythodd ar berchennog y siop, mewn penbleth. “Ond ... dy’ch chi ddim wedi rhoi cynnig ar un ohonyn nhw eto!”

“Dwi ddim yn bwriadu gwneud.” Roedd llygaid Morgan Rhys yn bigog a meddylgar. Yna tynnodd ei sbectol a thynnu hances wen o’i boced. Sgleiniodd y lensys. “Ble cest ti’r blwch ’ma?”

Petrusodd cyn ateb. “Ym ... ym, anrheg oedd e.”

Edrychodd arni. “Blwch wedi’i gloi?”

Gwridodd, yn ddig. "Y'ch chi'n meddwl 'mod i wedi ei ddwyn e?"

"Byddai'n well pe bait ti wedi ei ddwyn e. O leia gallet ti ei roi yn ôl wedyn."

Roedd ei lais yn ddifrifol fel petai'n poeni. Yna dywedodd, "Gad i mi ddweud rhywbeth wrthot ti. Mae hwn yn flwch na ddylai neb ei agor, byth. Dwi'n credu fod perygl mawr ynddo. Mae'r llythrennau sy arno'n hen iawn ac yn sôn am gyfrinach ddychrynllyd. Dwi wedi clywed am bethau tebyg o'r blaen. Dwi ddim yn mynd i'w agor e i ti. Cadw fe dan glo a phaid byth â cheisio'i agor eto, dyna 'nghyngor i."

Cleciodd y tân. Y tu allan roedd sŵn traed i'w clywed yn mynd heibio ffenestr y siop.

Rhoddodd Morgan Rhys un bys hir ar y blwch. "Gad i mi roi arian i ti amdano. Wedyn fe wna i ei gloi e yn fy nghoffor a fydd e ddim yn berygl i ti na neb arall. Gad i mi wneud hynny."

Oedodd Sara am eiliad. Ond yna meddyliodd am y bachgen, ei ddwylo oer, esgyrnog yn troi a throi'r clawr bob ffordd, ei lais chwerw'n dweud, "Fe gloiodd e fy enaid i yn y blwch." Sut y gallai ei adael yn gaeth am byth?

"Mae'n ddrwg gen i." Estynnodd Sara ei llaw a chymryd y blwch. Yna gwthiodd e i'r cwdyn plastig. "Os na wnewch chi fy helpu, does dim dewis gen i ond dod o hyd i rywun arall fydd yn fodlon gwneud."

Ysgydwodd Morgan Rhys ei ben. Edrychai'n siomedig. Yna dywedodd, "Wel, jyst gad i mi ... "

"Diolch yn fawr. Hwyl."

Roedd Sara'n ddig. Crynai ei bysedd wrth iddi afael yn y drws a'i agor. Chwythodd gwynt oer i'r siop, gan wneud i'r tân ruo a pheri i dudalennau llyfrau droi. Heb edrych yn ôl i weld a oedd e'n dilyn, camodd dros yr un gris a brysio ar hyd y stryd fach. Pan alwodd rhywun ei henw, aeth yn ei blaen, heb wybod yn iawn pam ei bod wedi cynhyrfu cymaint.

Oedd e wedi ceisio codi ofn arni hi? Doedd dim ofn arni hi. Roedd hi'n gwybod beth oedd yn y blwch a doedd e ddim. Roedd e am gael y blwch i'w siop. Roedd e'n meddwl y byddai'r holl gleber dwl yna am berygl yn gwneud iddi ei werthu'n rhad. Wel, doedd hi ddim yn gymaint o ffŵl â hynny.

"Sara!"

Arhosodd yn ei hunfan. Doedd dyn y siop ddim yn gwybod ei henw. Trodd.

Roedd Mat yn gwthio'i feic ar hyd y stryd. Daeth heibio'r siop a gwelodd Sara fod Morgan Rhys yn sefyll yn y drws, fel rhyw gysgod tal, yn gwylio'r ddau ohonyn nhw. Cerddodd yn ei blaen yn ddrwg ei thymer.

"Aros amdana i!" Daliodd Mat hi, a'i wynt yn ei ddwrn.

"Be sy'n bod?"

"Edrych." Cydiodd yn ei braich a'i gorfodi i aros. "Allwn ni ddim dod i ryw fath o gytundeb, cytuno i fod yn ffrindie? Nid fi aeth i dy stafell di. A does gen i ddim diddordeb mewn rhyw hen flwch."

Ond wrth iddo fe ddweud hynny roedd e'n rhythu ar y cwdyn plastig, a gwyddai Sara ei fod yn gallu gweld beth oedd ynddo. "O ble y cest ti'r peth 'na, beth bynnag?" gofynnodd.

"Meindia dy fusnes. A ... wel, o'r gore. Dwi'n gwybod nawr nad ti oedd e. Ond fe."

"Fe?" Rhythodd. "Gareth?"

"Nid Gareth, y twpsyn."

"Wel, pwy arall? Oes rhywun arall yn dod i mewn i'r tŷ?"

"Nac oes." Trodd ato, yn llawn dychryn. "Be' sy'n gwneud i ti feddwl hynny?"

Cododd Mat ei ysgwyddau. "Ro'n i'n meddwl ... neithiwr 'mod i'n clywed lleisiau. Lleisiau isel, dieithr. Fe godes i ac edrych i lawr y grisiau ond doedd neb yno. Ond am ..."

"Ond am beth?"

Edrychodd ar y beic. "Byddi di'n meddwl bod hyn yn hollol wirion. Ro'n i'n meddwl 'mod i'n gallu clywed sŵn y gwynt ym mrigau coeden. Coeden fawr. Ac roedd hi yn ein tŷ ni."

Rhythodd Sara arno. Ac am funud, wrth sefyll yn y stryd gul honno, a'r elyrch yn llithro heibio ar y nant heulog, roedd hi am ddweud wrtho am y blwch, y bachgen a'r goeden. Ond yn lle hynny, dywedodd, "Nid dy dŷ di yw e. Fy nhŷ i a thŷ Mam yw e."

Yna, cerddodd i ffwrdd a'i adael yno, gan ofyn iddi hi ei hun pam ei bod yn teimlo mor ddigalon.

****

Arhosodd ar ei thraed yn hwyr y noson honno yn gwylio ffilm, er ei bod yn ddiflas. Roedd fel petai arni ofn mynd i'w gwely, er iddi ddweud wrthi ei hun ei bod yn wirion. A phan aeth, dadwisgodd yn gyflym a neidio o dan y dillad. Gadawodd y lamp ynghyn, a syllu drwy'r ffenestr ar y cymylau yn symud fel ton ar draws y lleuad.

Bwriadai aros ar ddi-hun. Ond yn lle hynny, roedd hi'n cael ei deffro, a hynny o fewn ychydig eiliadau.

Roedd llaw fach yn ei thynnu, yn daer a ffyrnig. Agorodd ei llygaid mewn ofn a dychryn. Trodd, a daeth bysedd esgyrnog, brwnt dros ei cheg.

"Paid â sgrechian," sibrydodd y bachgen.

Nodiodd â'i llygaid oedd led y pen ar agor.

Trodd y bachgen ar ei sodlau. Tynnodd ei law i ffwrdd yn araf, ac anadlodd Sara ei arogl llychlyd. Gwelodd y clustdlws yn disgleirio yng ngolau'r lleuad.

Roedd y lamp wedi diffodd. Roedd y stafell mewn tywyllwch. Drwy gorneli ei llygaid, credai ei bod yn gweld dail yn dechrau egino, fel petai brigau'n tyfu o'r waliau. Roedd aderyn yn ysgwyd ei blu.

"Gest ti'r allwedd?" gofynnodd yn eiddgar. Cipiodd y blwch oddi ar y ford. "Ble mae hi? Ble mae'r allwedd?"

Symudodd Sara ei gwallt oddi ar ei hwyneb. Roedd ei hanadl yn fyr. Doedd hi ddim yn gwybod beth i'w ddweud wrtho.

Pennod 7

Rwyt ti wedi fy Ngwneud yn Benwan

Mae'n rhaid bod ei hwyneb yn datgelu'r cyfan wrtho.

"Chest ti mo'r allwedd? Fe ofynnes i ti ac ymbil arnat ti a chest ti ddim mohoni!" Gwthiodd ei wyneb yn agos at ei hwyneb hi.

"Fe dries i ..." dechreuodd, ond gosododd y bachgen ei fys mwdlyd ar ei gwefusau. Roedd ei lygaid yn belydrau gwyrdd o ddicter. "Rhy hwyr," hisiodd.

Siglodd y lamp. Wrth iddi ei gwylio, a'i llygaid yn fawr, syrthiodd y lamp ar y llawr, gan lusgo'r fflecs a thorri'r gwydr.

Gwenodd y bachgen ryw wên oeraidd. "Rwyt ti wedi fy ngwneud yn benwan, Sara. Rwyt ti wedi torri dy addewid. Dwi am dorri dy bethau di nawr."

Roedd fel petai awel yn crynhoi yn y stafell a dail yn cael eu chwythu'n ysgafn i bob man. Roedden nhw'n chwyrlïo'n dawel ar hyd y waliau ac yn gwneud i'r llenni godi'n donnau. Yn sydyn, dechreuodd corneli'r posteri a'r darluniau ar y wal blygu fel petaen nhw'n llaith. Daeth y *Blu-Tack* i ffwrdd yn stribedi hir fel elastig a saethodd y pinnau bawd oddi ar y wal.

Symudodd oddi wrtho. "Rho'r gorau iddi!" gwaeddodd.

Ysgydwodd ei ben.

Syrthiodd blychau a photeli oddi ar y bwrdd gwisgo. Hedfanodd caeadau oddi ar boteli colur, ac yn sydyn roedd y cynnwys yn diferu ar y carped. Ochneidiodd Sara. Syrthiodd pob llyfr, fesul un, oddi ar y silffoedd, gan ffrwydro'n un pentwr o bapur anniben ar y llawr. O'r cwpwrdd hanner agored, dechreuodd dillad a sgarffiau lithro a throi a'u rhwygo'u hunain yn ddarnau.

"Rho'r gorau iddi! Plîs!"

"Rhaid i ti gael yr allwedd," meddai.

Cydiodd ei fysedd yn dynn am ei breichiau. "Rhaid i ti gael yr allwedd, Sara. Dwi ddim am fod yn gaeth fan yma ddim rhagor. Dwi wedi crwydro'r cae 'ma am gan mlynedd cyn bod sgubor, cyn bod tŷ. Drwy nosweithiau oer y gaeaf, drwy'r barrug a'r oerni, yn aros i rywun fy nghlywed i, fy ngweld i, yn crio ac ochneidio a chrafu'r ffenestri." Camodd yn ôl. "Wna i ddim gadael i ti fynd nawr, Sara. Dim nawr a finnau wedi cael hyd i ti."

Diflannodd yn sydyn. Syllodd Sara ar gysgod ei siâp, a sylweddoli nad oedd e'n ddim byd mwy na'i chot yn siglo ar ddrws y cwpwrdd dillad. Wrth iddi wylio, llithrodd y got yn un swp i'r llawr.

****

" ... Dwi erioed wedi gweld y fath annibendod," meddai Mam yn ddig. "Fe ddylwn i wneud i ti aros yma a glanhau'r cwbwl."

Roedd Sara'n cnoi'r tost, a'i meddwl ymhell. Roedd yn anodd bwyta. Roedd ofn yn ei thagu. Roedd hi mor flinedig. Roedd hi wedi cysgu'n hwyr unwaith eto, a theimlai'n drwm a swrth. Cododd Mam ei chot. "Paid ag anghofio. Erbyn i mi ddod 'nôl ..."

Aeth allan i'r cyntedd gan ddal i siarad. Carlamodd y cŵn i'r tŷ gan gyfarth yn hapus. Ond yna fe sleifion nhw allan eto a rhedeg tua'r gât a'u clustiau'n hongian.

Daeth Mat yn ôl i mewn.

Am funud eisteddon nhw mewn tawelwch. Yfodd Sara de oer. Yna dywedodd Mat, "Mae'n amlwg bod rhywbeth yn bod ar y cŵn. Dy'n nhw ddim fel petaen nhw'n hoffi'r tŷ rhagor. Maen nhw'n crafu er mwyn cael mynd allan."

Edrychodd Sara arno'n hurt.

Yna gofynnodd Mat, "Be' sy'n digwydd, Sara? Mae dy stafell wely di'n edrych fel petai bom wedi glanio."

"O, ti wedi edrych felly!"

"Roedd dy fam yn gynddeiriog."

"Ddylet ti ddim mynd i mewn i'm stafell i." Ond roedd ei hateb yn ddifywyd. Doedd ganddi ddim egni i fod yn ddig wrtho. Safodd ar ei thraed. "Mae'n rhaid i mi fynd i'r dre."

"Fe wna i yrru 'te," meddai.

Rhythodd arno mewn syndod. "Do'n i ddim yn gwybod dy fod di wedi pasio dy brawf."

Cododd Mat ei ysgwyddau. Syrthiodd ei wallt tywyll dros ei lygaid. "Dwyt ti ddim yn gwybod llawer amdana i o gwbl, wyt ti?"

Am funud neu ddau teimlai'n anesmwyth. Yna aeth i nôl y blwch.

****

Roedd saer cloeon yn y dre ac aeth â'r blwch ato. Chymeron nhw fawr o amser. Fe fuon nhw'n ffidlan ac yn ffeilio a rhoi cynnig ar sawl allwedd nes cael hyd i un oedd yn ffitio. Wrth i'r fenyw yn y siop droi'r allwedd, clywodd Sara'r clo yn rhoi clic a llamodd ei chalon. Gosododd ei llaw yn drwm ar glawr y blwch rhag iddo agor.

Edrychodd y fenyw yn syn arni. "£6.50, plîs."

Talodd Sara, cloi'r blwch eto a'i roi yn y cwdyn plastig. Ond wrth iddi gerdded heibio'r stryd a arweiniai at siop Morgan Rhys, oedodd. Teimlai awydd i fynd i'r siop i siarad â'r perchennog eto, i weld beth oedd wedi poeni cymaint arno.

Roedd y stryd yn dawel. Gorweddai dail yn y pyllau dŵr. Roedd yr elyrch yn trochi yn y chwyn trwchus a dyfai ar un ochr i'r nant, gan godi eu gyddfau hir a'u hysgwyd.

Cerddodd Sara nes cyrraedd y siop ac edrych i mewn.

Roedd cwsmer gan Morgan Rhys. Safai a'i gefn ati. Roedd y ddau'n siarad. Gwelodd Morgan Rhys yn agor ei law. Edrychai fel petai wedi'i gyffroi. Yna rhoddodd fys hir ar ddarn o bapur oedd ar ei ddesg.

Roedd Sara ar fin agor y drws ond yna arhosodd yn stond.

Roedd y cwsmer wedi troi, a gwelodd taw Mat oedd e.

Plygodd ar unwaith a cheisio cuddio y tu ôl i gabinet oedd yn llenwi'r ffenestr.

Doedden nhw ddim wedi ei gweld hi. Ond beth roedd Mat yn ei wneud mewn siop hen bethau, Mat a'i got Goth a'i leiniwr-llygad du? Oedd e a Morgan Rhys yn cynllwynio gyda'i gilydd i gael y blwch?

Camodd yn ôl. Roedd hi'n gwybod nawr cymaint roedd hi wedi dyheu am gael mynd i mewn i'r siop.

Yna chwythodd y gwynt yn ei hwyneb, ysgwyd ei chot a chwipio'i gwallt ar hyd ei llygaid. Cododd y dail o'r pyllau a thasgu mwd drosti. Edrychodd i fyny, a gwelodd gysgod bach wedi gwargrymu yn y twnnel tywyll ar ben y stryd fach gul.

"Heno, Sara," sibrydodd.

Pennod 8
Ar ei Phen ei Hun

"Beth rwyt ti'n feddwl?" Trodd Mam o flaen y drych.

"Neis iawn," atebodd Sara.

"Wel, gallet ti fod ychydig yn fwy brwdfrydig," ochneidiodd ei mam.

"Mae'n grêt. Mae'n edrych yn dda arnat ti."

Roedd ffrog Mam yn goch ac yn hir. Roedd ganddi got goch a phorffor drosti, un wahanol ac artistig iawn. Roedd ei gwallt wedi ei godi ar ei phen ac ambell gwrl bach yn hongian. Edrychai'n union fel y dylai cerflunydd enwog edrych.

“Gobeithio’n wir. Bydd yn rhaid iddi wneud y tro.” Gwenodd. “Byddwn wrth fy modd petait ti’n gallu dod Sara, wir yr, ond gwahoddiad i ddau yn unig oedd e. Byddwn ni ’nôl tua deg bore fory. Wyt ti’n siŵr nad wyt ti am i rywun gadw cwmni i ti dros nos? Oli, neu Cadi?”

“Na. Bydda i’n iawn.”

“Dwi ddim yn hoffi meddwl amdanat ti fan hyn ar dy ben dy hun.”

Cododd Sara’i hysgwyddau. “Bydd Mat ’ma.”

“Na fydd.” Dododd Mam ei phwrs a’i lipstig yn ei bag. “Mae e allan yn hwyr gyda rhyw ffrindie heno, yn ôl Gareth.”

Crychodd Sara’i thalcen. Eisteddodd ar sedd y ffenestr, cododd ei phengliniau a’u cwtsio’n dynn. Yn y ffenest gwyliodd ei hadlewyrchiad hi ei hun a thu hwnt iddo aur a choch yr hydref. Byddai’n dda ganddi petai Mat yn aros gartref heno. Pam ei bod mor nerfus? Roedd yr allwedd ganddi. Byddai’r bachgen yn rhydd. Byddai popeth yn iawn.

I lawr y grisiau, roedd Gareth yn sefyll wrth y tân. Roedd e’n gwisgo siwt las a thei porffor oedd yn gweddu i got Mam.

“Ffantastig,” meddai, pan gerddodd Mam i mewn.

Roedd Mam yn pwffian chwerthin. “Dwyt ti ddim yn ddrwg dy hun.”

Gwenodd y ddau a sythodd Mam ei dei. Gwyliodd Sara nhw a bu bron iddi wenu. Yna sylweddolodd a gwgodd. Byddai’n rhaid iddi fod yn ofalus. Roedd hi’n dechrau meddalu.

Ymhen ychydig, a’r cŵn yn anadlu’n drwm wrth ei hochr, ffarweliodd â’i Mam a Gareth. Gwyliodd y car yn cyflymu ar hyd y lôn hyd nes nad oedd ond ei olau coch yn y golwg.

Yna, diflannodd hwnnw hefyd. Roedd hi ar ei phen ei hun.

Am funud, gwrandawodd.

Roedd y tywyllwch yn llaith a gwyntog. Gallai glywed drws y sied yn gwichian a’r canghennau’n cael eu hysgwyd ac, yn y pellter, fwmian y traffig ar yr heol.

Doedd hi erioed wedi bod yn y tŷ ar ei phen ei hun yn y nos o’r blaen. Roedd hi’n ymwybodol iawn pa mor unig oedd hi. Roedd y cymdogion agosaf yn byw mewn fferm led tri chae i ffwrdd.

Rhoddodd Jess ei thrwyn yn ei llaw a'i llyfu.

Trodd. "Iawn, Jess. Dwi'n dod."

Doedd dim golwg o Mat, felly ar ôl cloi'r drws aeth i fwydo'r cŵn, bwyta swper a mynd i'r gwely.

Gorweddodd yn effro am amser hir, yn aros. Hepian a deffro, hepian eto, ac yna'n sydyn agorodd ei llygaid a rhythu ar ei gobennydd.

Roedd e yma.

Clywodd ef. Clywed llithriad tawel yn y stafell. Arogli'r drewdod llaith, deiliog. Caeodd ei llygaid o dan y dillad ac anadlodd weddi. Daliai ei chorff yn llonydd, llonydd, pob modfedd ohono'n chwys. Roedd arswyd yn morthwylio dan ei hasennau.

"Sara," meddai.

Yn araf cododd ar ei heistedd a gwelodd ef.

Roedd e'n eistedd ar stôl ei bwrdd gwisgo, yn gysgod yn y tywyllwch. Roedd un stribed o olau'r lleuad arno, yn dangos ongl asgwrn ei ên iddi, a disgleirdeb clustdlws copr yn ei glust.

Safodd ar ei draed a daeth yn nes. Gwelodd Sara bod dail a thalpiau o fwd yn syrthio oddi arno. Ceisiodd hi gynnau'r lamp. Ddigwyddodd dim byd. Roedd y stafell yn dal mewn tywyllwch.

"Ble mae'r allwedd?" gofynnodd.

Penliniodd Sara yng nghanol y dillad gwely anniben. Roedd y tŷ'n dawel. Roedd hyd yn oed y gwynt wedi gostegu, a doedd dim smic gan y cŵn.

"Beth sy wedi digwydd i Jac a Jess?"

Ysgydwodd ei ben. "Roedd ofn arnyn nhw. Agorodd y drws ac fe redon nhw allan. Bydd yn rhaid i ti fynd i chwilio amdanyn nhw yn y bore. Ble mae hi, Sara? Ble mae fy allwedd i?"

Ei hunig ddymuniad oedd gweld popeth yn dod i ben. Gwthiodd ei llaw o dan y gobennydd a chwilio amdani. Cafodd hyd i'r metel oer a'i dangos i'r bachgen.

Daeth rhyw olau rhyfedd i'w lygaid. Estynnodd ei law am yr allwedd ond dywedodd Sara, "Bydd yn rhaid i ti gael y blwch. Mae e draw fan yna ar y ddesg."

Gydag un symudiad sydyn trodd, cymerodd y blwch arian a'i gario at Sara. Anwesodd ef gan adael marciau mwdlyd ei ddwylo ar y dail derw perffaith. Eisteddodd ar y gwely ac edrych arni. "Dwi wedi breuddwydio am hyn."

“Ydy ysbrydion yn breuddwydio?” sibrydodd Sara.

“Trwy’r dydd. Tra bydd y byd yn troi a phobol yn gweithio, yn siarad ac yn ein hanghofio ni, mae’r ysbrydion yn breuddwydio.” Estynnodd ei law a chymryd yr allwedd oddi arni. “A nawr bydd fy mreuddwyd yn cael ei gwireddu.”

Dododd yr allwedd yn y clo a dweud mewn llais cyfrwys, “Rhaid i ti ei throi. Ysbryd ydw i. Alla i ddim.”

Felly, fe drodd Sara’r allwedd.

Gwrthododd symud. Ceisiodd Sara ei throi eto, ysgydwodd y blwch, gwthiodd yr allwedd i mewn yn dynn. Roedd hi’n gwrthod troi.

Cipiodd y bachgen hi oddi arni. Gwthiodd yr allwedd. Ceisiodd ei gorfodi i droi. Ond symudodd mo’r allwedd.

A phan edrychodd arni roedd ei wyneb main yn welw a phoenus. “Rwyt ti wedi fy nhwyllo i!”

“Na! Dwi ...”

“Ti wedi fy nhwyllo. Ddylet ti byth geisio fy nhwyllo i, Sara.”

Mewn arswyd, ceisiodd Sara gydio yn y bachgen. Ond doedd dim yno ond awyr oer, gwag. Cyn iddi allu dweud yr un gair, edrychodd heibio iddo a gweld Mat yn sefyll yn y drws agored, yn dal allwedd fain, loyw.

"Wnaeth hi ddim dy dwyllo di," meddai Mat wrtho. "Fi wnaeth."

Pennod 9
Enaid am Enaid

Roedd lamp llaw gan Mat, ond wrth iddo gerdded i'r stafell, diffoddodd ei golau. Yn gyflym, neidiodd Sara a gafael yn y llenni. Wrth iddi eu hagor led y pen, gorlifodd golau disglair y lleuad i'r stafell. Gwelodd y bachgen yn edrych ar Mat â chas perffaith.

"Beth rwyt ti wedi'i wneud?" gofynnodd yn dawel drwy'i ddannedd.

Cydiodd Mat yn dynn yn yr allwedd. "Cafodd Sara allwedd wedi'i thorri'n arbennig a'i chuddio o dan y gobennydd. Ond fe gymeres i'r allwedd a rhoi un arall yn ei lle. Allwedd clo fy meic yw honna."

"Rwyt ti wedi difetha popeth," arthiodd y bachgen.

Ysgydwodd Sara'i phen. "Ond pam?"

Daeth Mat i mewn a phwyso yn erbyn y bwrdd gwisgo. "Mae e'n gwybod pam."

Edrychodd y bachgen i ffwrdd. Plethodd ei ddwylo esgyrnog mewn gwewyr tawel. "Dwi ddim yn gallu dweud wrthoch chi," sibrydodd. "Os gwna i hynny, fe fydda i'n gaeth yn y fan yma am byth."

"Wel, rwyt ti'n ffodus, dyma rywun all ddweud wrthi." Agorodd Mat y drws yn lletach ac er syndod i Sara, gwelodd fod rhywun arall yn sefyll y tu allan. Dyn tal yn gwisgo cot dywyll, ei sbectol yn dal golau'r lleuad. Morgan Rhys oedd e.

"Mae'n wir felly," meddai.

"Chi!" meddai Sara mewn syndod. "Sut gwnaethoch chi ...?"

"Fe welodd e fi'n siarad â ti, a'r tro nesa es i heibio'r siop, dyna lle roedd e'n aros amdana i," meddai Mat. "Roedd e'n poeni amdanat ti."

Roedd Morgan Rhys yn rhythu'n syn ar ysbryd y bachgen. "Ro'n i'n poeni'n fawr iawn. A nawr, ei weld e! Darllenes i'r geiriau ar y blwch. Dwi wedi clywed am y math yna o swynion ond dwi erioed wedi gweld – "

"Pa swynion?" Roedd llais Sara'n siarp. Roedd hi'n ddig. "Eglurwch."

Camodd Morgan Rhys nes ei fod yn sefyll yng ngolau'r lleuad. Gwisgai got ddu, dywyll, yn debyg i Mat. Am funud tybiodd Sara taw meistr a phrentis oedden nhw.

"Ro'n i'n llawn ofn pan weles i'r ysgrifen ar y blwch. Gad i mi ei ddarllen i ti nawr."

"Na!" Roedd wyneb y bachgen yn llawn gwewyr. "Os gwnewch chi ... bydd hi'n gwybod."

"Mae'n rhaid iddi wybod." Cymerodd Morgan Rhys y blwch o ddwylo Sara a throdd y llythrennau at y golau. "Mae'r ysgrifen yma'n hen. Lladin yw'r iaith. Mae'n dweud bod y blwch wedi ei wneud yn arbennig i ddal enaid, a bydd pwy bynnag sy'n agor y blwch ac yn rhyddhau'r enaid sy'n gaeth ynddo, yn ei dro, yn cael ei gosbi. Bydd enaid y person hwnnw yn cymryd lle'r enaid sy yn y blwch. Mae hyn yn wir, fachgen, on'd yw e?"

Roedd y bachgen yn llonydd am funud. Yna aeth ei ysgwyddau'n llipa. "Ydy."

"Ond wedest ti wrtho i ..." meddai Sara.

"Roedd popeth wedes i wrthot ti'n wir. Popeth ond y ffaith nad oedd y felltith am byth. Dim ond nes ro'n i'n gallu cael rhywun i agor hwn, a chymryd fy lle." Roedd ei lais yn ddiserch a digalon. "A bron i mi lwyddo."

Rhythodd Sara arno mewn arswyd. "Fyddet ti wedi gadael i hynna ddigwydd? I mi?"

Cododd ei ysgwyddau a syrthiodd darn bach o fwd ar y llawr. "Pam dylwn i boeni pwy fyddai'n agor y blwch? Ti, fe, byddai unrhyw un yn gwneud y tro. Fe fyddwn i'n rhydd! Yn rhydd o hunlle'r tywyllwch yma. Yn rhydd o'r lle oer ofnadwy yma! Bob nos, dwi'n gorwedd yn y dail ac mae'r goeden yn siglo uwch fy mhen i a does neb yno! Neb o gwbwl."

Gwyliodd Sara'r bachgen. Teimlai gyfuniad o ddicter a thrueni. Yna edrychodd ar y blwch, ac at Morgan Rhys. "Beth allwn ni ei wneud? Mae'n rhaid bod rhywbeth y gallwn ni ei wneud. Os taw swyn yw e, does bosib nad oes modd ei dorri?"

"Mae'n bosib," meddai Morgan Rhys gan edrych ar Sara. "Ond mae perygl. Perygl i ti a dy frawd."

"Dyw e ddim yn frawd i mi!"

Gwgodd y dyn tal. "Ond ro'n i'n meddwl ..."

"Llysfrawd." Roedd llais Mat yn dawel. "Beth yw'r siarad 'ma am berygl? A pham ni?"

Roedd Morgan Rhys yn edrych yn ddifrifol iawn. "Mae'r blwch wedi ei wneud i ddal un enaid yn unig. Dyw e ddim yn gallu dal dau. Os bydd dau berson yn agor y blwch gyda'i gilydd, ac yn ymddiried yn llwyr yn ei gilydd, yna bydd y swyn yn cael ei dorri. Bydd y felltith yn peidio ac yn diflannu. Dyna be' sy'n cael ei ddweud ..."

Roedd Sara'n siomedig. "Dy'ch chi ddim yn siŵr?"

"Na ... ddim yn hollol siŵr. Ond dyna'r cwbwl alla i awgrymu."

Teimlai'n ddryslyd ac anhapus, ac meddai, "Ond y trwbwl ydy nad yw Mat a fi ... wel, dy'n ni ddim ..."

Sychodd ei geiriau yn ei gwddw. Doedd hi ddim yn gwybod sut i orffen. Am ennyd bu tawelwch, ac yna clywodd y bachgen yn ochneidio. Safodd y bachgen a chamu o'r golau, yn ddim ond cysgod wrth y ffenestr. Edrychodd ar y caeau a'r bryniau oedd wedi eu goleuo gan y lleuad. "Dim ond lleidr pocedi o'n i. Do'n i ddim yn haeddu hyn. Ond dy benderfyniad di fydd e, Sara."

Roedd hi'n dawel am funud. Yna cymerodd ei gŵn llofft, ei lapio amdani a thynhau'r gwregys. Cerddodd at Mat ac edrych i fyw ei lygaid. "Mae'n ddrwg gen i am fod mor gas, am fod yn gymaint o hen fuwch. Er bod y peth Goth 'na'n wirion."

"Mae'n flin gen i hefyd." Gwenodd. "Ac mae'n ddrwg gen i am bopeth wedes i. Ond Sara, wyt ti'n siŵr dy fod am roi cynnig ar hyn? Achos os gwnawn ni gawl ohoni, efallai taw un ohonon ni fydd yr ysbryd fydd yn crwydro trwy'r tŷ 'ma am y can mlynedd nesa."

Edrychodd draw at y bachgen, ar ei wyneb gwelw, diobaith.

"Dwi'n barod, os wyt ti."

Am ennyd roedd Mat yn llonydd. Yna trodd at Morgan Rhys. "O'r gorau," meddai mewn llais tawel. "Dwed wrthon ni beth i'w wneud."

Pennod 10
Gyda'n Gilydd

Roedd y gwynt wedi gostegu yn yr ardd. Goleuai'r lleuad y lawntiau llyfn, ac roedd yr awyr mor oer nes bod anadl Sara fel niwlen o amgylch ei hwyneb. Roedd hi'n falch fod ganddi got drwchus ac esgidiau uchel.

Edrychodd y tu ôl iddi. Safai'r bachgen yng nghysgod y tŷ, gan bwyso yn erbyn y wal yn gwylio. Edrychai'n fwy eiddil a diymadferth nag erioed. Roedd hi'n siŵr ei bod yn gallu gweld briciau'r wal drwyddo.

Daeth Morgan Rhys draw gan gario'r blwch. Cerddodd at ryw fan ar y borfa oedd yn wyn fel barrug ac meddai, "Fe wnaiff y fan yma'r tro."

Ymunodd Mat â nhw. Fe wylion nhw mewn tawelwch.

Gwisgodd y dyn tal ei sbectol a darllen y geiriau Lladin unwaith eto, gan droi'r blwch yng ngolau arian y lleuad. "Ble mae'r allwedd?" gofynnodd.

Daliodd Sara'r allwedd.

"Nawr mae'n rhaid i chi ddatgloi'r blwch gyda'ch gilydd."

Symudodd hi ddim.

Er mawr syndod iddi, estynnodd Mat ei law.

"Ffrindie?" gofynnodd.

Petrusodd am eiliad. Daeth ychydig bach o ofid i'w meddwl, poen cofio. Cofio am ei bywyd, dim ond hi a Mam, yn sgwrsio, yn cael hwyl, ar eu pennau eu hunain. Dyddiau da oedd y rheiny. Yna meddyliodd am Mam yn sythu tei Gareth, y ffordd wirion roedd e wedi dewis tei porffor i gydweddu â ffrog Mam. Roedden nhw'n hurt. Ond ...

Edrychodd. Roedd Mat yn gwylio. Estynnodd ei llaw a gafael yn ei law e. Roedd hi'n oer a thenau a theimlai'n lletchwith.

"Ffrindie," sibrydodd. Yna, "Y twpsyn gwirion."

Gwenodd. Fe gerddon nhw at y blwch gyda'i gilydd. Cododd Morgan Rhys y blwch fel bod golau'r lleuad arno.

Nesaodd y bachgen gan bwyll bach. Plygodd yn ei gwman y tu ôl i Sara.

Daliodd hi a Mat yr allwedd gyda'i gilydd a'i dodi yn y clo. Yna ei throi. Atseiniodd y clic yn uchel yn nhawelwch y nos. Gyda'i gilydd, fe godon nhw glawr y blwch.

Am ennyd credai Sara taw dim ond tywyllwch oedd ynddo.

Yna gwelodd rywbeth bach, crwn, yn disgleirio'n wan. Wrth iddi droi'r blwch rholiodd y peth i gornel. Rhoddodd Mat ei law yn y blwch a'i dynnu allan. Daliodd e i fyny, ac er syndod iddyn nhw, fe welson nhw taw mesen oedd yno.

Mesen yn disgleirio fel arian.

Ebychiad.

Trodd Sara'n sydyn.

Gwaeddodd y bachgen. Edrychodd i lawr arno'i hun ac fe welson nhw ei fod e'n diflannu, bod ei gorff yn datod fel niwl ar y gwynt. "Dwi'n mynd," anadlodd. "O'r diwedd. Fe fydda i yno. Cyn hir, fe fydda i yno!"

Allai Sara ddim ateb. Estynnodd ei llaw i gyffwrdd ag e ond doedd dim ohono ar ôl, ac ar unwaith doedd ei siâp yn ddim ond tywyllwch yn toddi a sŵn sibrwd. Ai ei henw hi, Sara, a glywodd neu ai dim ond siffrwd y borfa yn y nos?

"Ffarwel," sibrydodd Sara. "Cysga'n drwm."

"Fe lwyddon ni," meddai Mat. "Ac ry'n ni'n dal yn fyw."

Nodiodd Sara. Yna, fel roedd Morgan Rhys yn cymryd y blwch oddi arnyn nhw cafodd Sara'r fath syndod. Roedd adar yn hedfan o'r blwch gwag – adar glas ac adar aur a chanddyn nhw gynffonnau hir a fflachiadau o sgarlad ar eu hadenydd. Roedden nhw'n hedfan a chanu mewn ffrwydriad o sŵn.

Yna fe hedfanon nhw i ffwrdd yn un cwmwl mawr tuag at godiad yr haul. Ysgydwodd Mat ei ben ac edrychodd i mewn i'r blwch. "Be' arall sy yn hwn?"

Caeodd Morgan Rhys e'n gyflym. "Pwy â ŵyr? Efallai na ddylen ni edrych ymhellach. Ond mae hon ar ôl." Cymerodd y fesen oddi ar Sara, daliodd hi'n ei ddwylo am ennyd ac yna ei rhoi hi 'nôl iddi. "Dim ond un peth sy i'w wneud â hedyn. Ei blannu."

Nodiodd Sara a cherdded cam neu ddau, gan ddewis y man yn ofalus. Heb fod yn rhy agos i'r tŷ, ond yn y lawnt, heb fod ymhell o'i stafell wely. Heb fod ymhell o ble roedd coeden y bachgen wedi bod ar un adeg, y goeden a welodd yn y darlun ac yn ei breuddwyd.

Plygodd a thynnu'r borfa yn dalpiau llaith a mwdlyd. Roedd y pridd yn ddu ac oer.

"Defnyddia hwn," meddai Mat a rhoi brigyn iddi.

Tyllodd a thyllodd nes gwneud twll dwfn, yr union faint roedd ei angen. Yna rhoddodd y fesen ynddo, ei gorchuddio â phridd, gwasgu'r pridd â'i throed, a chamu 'nôl.

Mewn tawelwch, syllon nhw ar y borfa, yn union fel petaen nhw'n disgwyl i'r goeden dyfu'n sydyn, dros nos, fel yn stori Jac a'r Goeden Ffa. "Fe welwn ni hi'n egino mewn rhai wythnosau," meddai Mat. "Ymhen can mlynedd fe fydd hi'n anferth."

Dechreuodd aderyn ganu. Edrychodd Sara, a gwelodd linell o olau coch gwan yn y dwyrain.

Dywedodd Morgan Rhys yn dawel, "Bydd yn olau dydd cyn hir. Mae'n well i chi fynd i'r tŷ cyn i'ch rhieni ddod yn ôl."

"Diolch yn fawr am eich help," dywedodd Sara. "Efallai y byddai'n well i chi gadw'r blwch."

Cydiodd yn dynn ynddo a nodiodd. "Fe gadwa i e'n ddiogel i chi. Wna i byth ei werthu."

"Dwi'n credu ei fod e wedi gwneud ei waith," meddai Sara.

Gwenodd Morgan Rhys.

Gyda'i gilydd trodd Sara a Mat yn ôl am y tŷ.